J'ap
à
avec Sami et Ju

Il neige !

Emmanuelle Massonaud

hachette
ÉDUCATION

Avec Sami et Julie, lire est un plaisir !

Avant de lire l'histoire

- Parlez ensemble du titre et de l'illustration en couverture, afin de préparer la compréhension globale de l'histoire.
- Vous pouvez, dans un premier temps, lire l'histoire en entier à votre enfant, pour qu'ensuite il la lise seul.
- Si besoin, proposez les activités de préparation à la lecture aux pages 4 et 5. Elles permettront de déchiffrer les mots les plus difficiles.

Après avoir lu l'histoire

- Parlez ensemble de l'histoire en posant les questions de la page 30 : « As-tu bien compris l'histoire ? »
- Vous pouvez aussi parler ensemble de ses réactions, de son avis, en vous appuyant sur les questions de la page 31 : « Et toi, qu'en penses-tu ? »

Bonne lecture !

Couverture : Mélissa Chalot
Maquette intérieure : Mélissa Chalot
Mise en pages : Typo-Virgule
Illustrations : Thérèse Bonté
Édition : Laurence Lesbre
Relecture ortho-typo : Jean-Pierre Leblan

ISBN : 978-2-01-701329-7
© Hachette Livre 2017.

Achevé d'imprimer en Octobre en Espagne par Unigraf
Dépôt légal : Janvier 2017 - Édition 09 - 85/5161/8

Les personnages de l'histoire

Pour préparer la lecture

1 Montre le dessin quand tu entends le son (j)
comme dans <u>J</u>ulie.

2 Montre le dessin quand tu entends le son (è)
comme dans n<u>ei</u>ge.

3 Lis ces syllabes.

| nei | ge | ou | ra | fai | bo |

| pro | mou | fle | cou | si | ché |

4 Lis ces mots-outils.

il pas aux je vous la

dit dans c'est mon toute

5 Lis les mots de l'histoire.

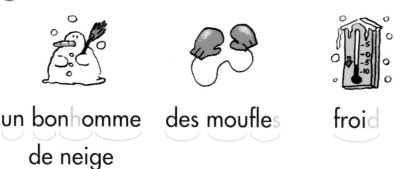

un bonhomme
de neige

des moufles

froid

une luge

une boule
de neige

geler

– Il neige ! Il neige !

Hourra, hourra !

– On va faire un bonhomme

de neige ? propose Sami.

– Pas les moufles,

pas les moufles, dit Emma,

la petite cousine de Sami

et Julie.

– Ma chérie, enfile-les :

il fait froid ! insiste Tatie.

– Je vous confie Emma, déclare-t-elle.

– Allez, dans la luge, Emma : c'est parti ! dit Julie.

– Super, ça glisse, dit Julie.

– Vite, vite ! dit Emma.

– À mon tour, à mon tour !

râle Sami. Je gèle à vous

attendre.

– Regardez-moi, les amies !

Je glisse à toute allure…

hurle Sami.

– Tu n'es plus gelé :

tu es congelé ! rit Julie.

PIF ! PAF ! BOUM !

Les boules de neige

volent !

– Pas sur moi : je suis petite ! supplie Emma.

– Regardez : des traces

de pattes, dit Sami.

– Ce doit être des traces

de rouge-gorge, répond

Julie. Regarde, Emma :

tu le vois, là-bas ?

– Nous voilà, les enfants !
Vous allez voir ce que
vous allez voir, dit Papa.

– Encore plus grand, Papa !

dit Emma.

– Plus gros, Papi, plus gros,

renchérit Sami.

– Voilà ton nez,

gros patapouf ! dit Sami.

– J'ai froid aux mains !

dit Emma.

– Quel bonhomme de neige magnifique ! s'écrie Mamie.

– Bravo, les enfants. Mais vous êtes tout trempés, dit Maman. Rentrons vite nous mettre au coin d'un bon feu.

– Qui veut encore

des crêpes ? demande Papa.

– Moi, moi ! s'écrient Sami

et Julie.   *maison*

– J'en connais une

qui commence une énorme

sieste... dit Tatie.

As-tu bien compris l'histoire ?

1 Comment s'appelle la petite cousine de Sami et Julie ?

2 Qui tombe de la luge ?

3 Qui a laissé des empreintes dans la neige ?

4 Pourquoi Emma a-t-elle froid aux mains ?

5 Que prennent les enfants au goûter pour se réchauffer ?

Et toi, qu'en penses-tu ?

Et toi, préfères-tu l'hiver ou l'été ?

As-tu déjà fait un bonhomme de neige ?

Sais-tu en dessous de quelle température il peut y avoir de la neige ?

Sais-tu que chaque flocon de neige est unique ? Regarde bien la prochaine fois qu'il neige.

As-tu lu tous les Sami et Julie ?

Niveau 1
Début de CP

Niveau 2
Milieu de CP

Niveau 3
Fin de CP

Niveau CE1

hachette
ÉDUCATION